LA VÉRITÉ SUR L'AFFAIRE DES TROIS PETITS COCHONS

PAR L.E. LOUP

TÉMOIGNAGE RECUEILLI PAR JON SCIESZKA,
ILLUSTRÉ PAR LANE SMITH
ET TRADUIT DE L'AMÉRICAIN PAR GILLES LERGEN

Nathan

Première publication en 1989 par Viking Penguin U.S.A.
Texte © John Scieszka, 1989.
Illustrations © Lane Smith, 1989.
Traduction française © Éditions Nathan (Paris-France), 1991.

ISBN : 2-09-222408-5
N° d'éditeur : 10120718
Dépôt légal janvier 2005
Impression et reliure :
Pollina s.a., 85400 Luçon - n° 95362
Imprimé en France

À Jeri et Molly

J.S. et L.S.

Évidemment, vous connaissez

l'histoire des Trois Petits Cochons.

Ou du moins, c'est ce que vous croyez.

Mais je vais vous donner un bon tuyau.

Personne ne connaît la vérité, parce que

personne n'a entendu *ma* version

de l'histoire.

Le Loup, c'est moi. Léonard Eugène Loup.

Vous pouvez m'appeler Léo.

Je ne sais pas comment cette affaire de Grand Méchant Loup
a démarré, mais c'est des salades.

Peut-être que c'est à cause de notre régime.

Ce n'est quand même pas ma faute si les loups mangent des petites

bêtes mignonnes comme les lapins, les agneaux, les cochons !

On est fait comme ça. Si les hamburgers étaient mignons, vous aussi,

on vous traiterait de Grands Méchants.

Ⓐ Rhume + Ⓑ Sucre

Pour en revenir à nos moutons, cette affaire
de Grand Méchant Loup, ça ne tient pas debout.
La vérité, c'est une histoire de rhume et de sucre.

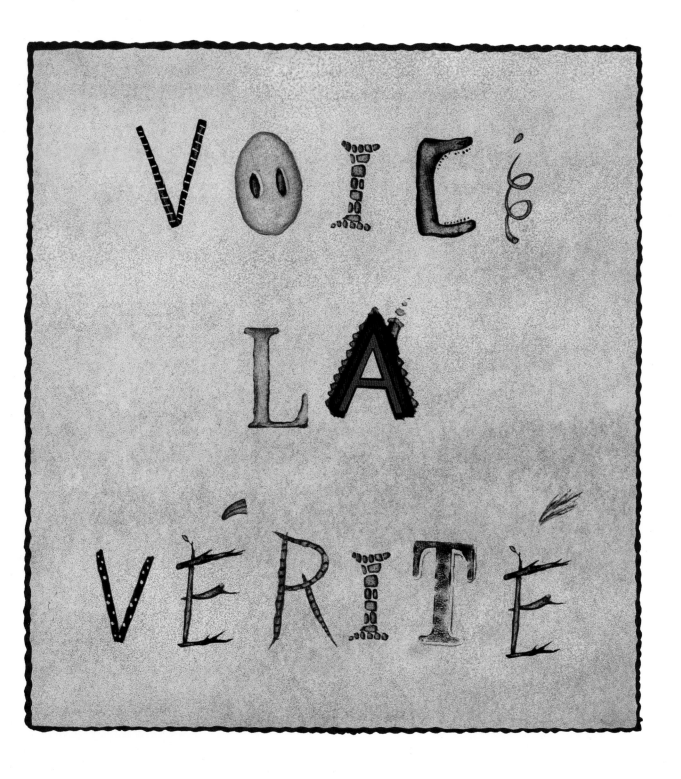

VOICI LA VÉRITÉ

Ça remonte à l'époque d'*Il Était une Fois*.
Ce jour-là, je préparais un gâteau
d'anniversaire pour ma vieille
grand-maman chérie.
J'avais un rhume carabiné.
Le paquet de sucre était fini.

Alors j'ai descendu la rue pour demander un peu de sucre au voisin.

Seulement, ce voisin, c'était un cochon.

Et pas très malin, avec ça...

Il avait construit toute sa maison en paille !

Incroyable, non ? Je vous le demande, qui aurait l'idée

de construire une maison en paille ? Enfin, bon.

Forcément, dès que j'ai frappé, la porte s'est écroulée à l'intérieur.
Mais je ne voulais pas rentrer comme ça chez quelqu'un. Alors,
j'ai appelé : « Petit Cochon, Petit Cochon, tu es là ? » Pas de réponse.
Je m'apprêtais à retourner tranquillement chez moi, sans le sucre
pour le gâteau d'anniversaire de ma vieille grand-maman chérie.

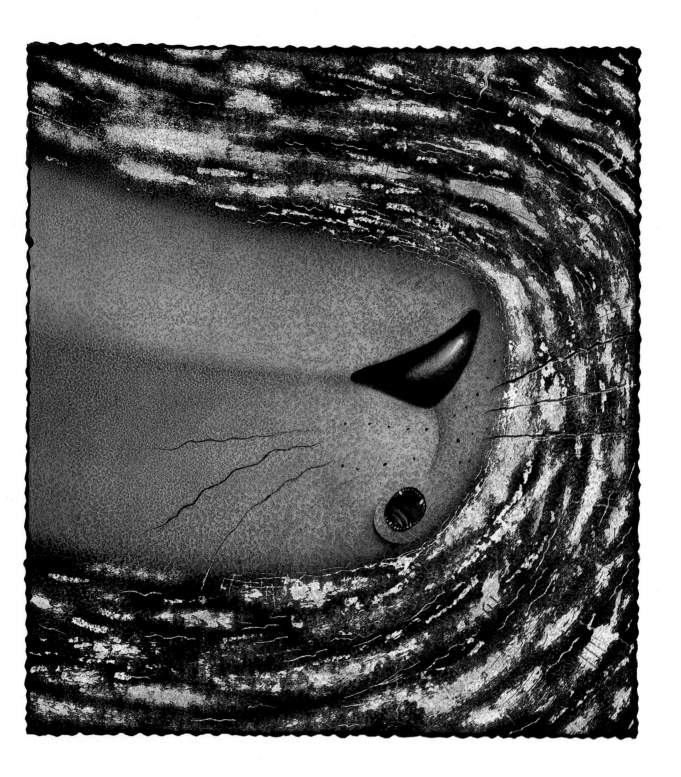

C'est à ce moment-là que mon nez s'est mis à me démanger.

J'ai senti que j'allais éternuer.

Alors j'ai soufflé...

Et j'ai soufflé...

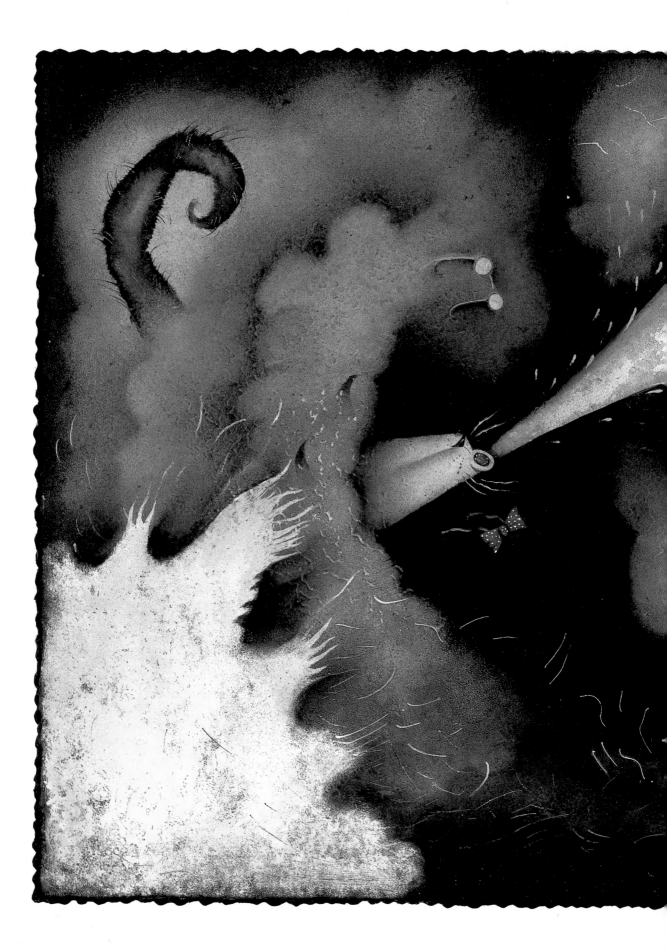

Et j'ai éternué un bon coup.

Et vous savez quoi ? Toute cette sacrée maison
de paille s'est écroulée. Et au beau milieu du tas de paille,
j'ai vu le Premier Petit Cochon — mort comme une bûche.
Il était là depuis le début.

Ç'aurait été trop bête de laisser une belle assiette
de charcuterie comme ça sur la paille. Alors j'ai tout mangé.
Imaginez-le comme un gros hamburger tout chaud,
à portée de la main...

Je me sentais un peu mieux. Mais je n'avais toujours pas de sucre.

Alors j'ai marché jusque chez le voisin d'à côté.

Ce voisin, c'était le frère du Premier Petit Cochon.

Il était un peu plus malin, mais pas beaucoup.

Il avait construit sa maison en branches.

J'ai sonné à la maison de branches.

Pas de réponse.

J'ai appelé : « Monsieur Cochon, Monsieur Cochon, vous êtes là ? »

Il a hurlé : « Va-t-en, Loup. Tu ne peux pas entrer, je suis en train

de me raser les poi-poils de mon petit menton. »

J'avais à peine touché la poignée de la porte,

quand j'ai senti que j'allais encore éternuer.

J'ai soufflé… Et j'ai soufflé…

J'ai essayé de mettre la main devant la bouche,

mais j'ai éternué un bon coup.

Eh bien, croyez-moi si vous le voulez, mais la maison

de ce type s'est écroulée, exactement comme celle de son frère !

Quand la poussière s'est envolée, j'ai vu

le Deuxième Petit Cochon — mort comme une bûche.

Parole de Loup.

 'empêche.

Tout le monde sait que la nourriture

s'abîme si on la laisse traîner dehors.

Alors j'ai fait mon devoir.

J'ai re-dîné.

C'était un peu comme une seconde portion.

J'avais beaucoup trop mangé.

Mais mon rhume allait un peu mieux.

Et je n'avais toujours pas de sucre

pour le gâteau d'anniversaire

de ma vieille grand-maman chérie.

Alors, j'ai marché

jusque chez le voisin.

Ce type était

le frère du Premier

et du Deuxième Petit Cochon.

C'était sûrement le cerveau de la famille.

Il avait construit sa maison en briques.

J'ai frappé à la maison en briques. Pas de réponse.

J'ai appelé : « Monsieur Cochon, Monsieur Cochon, vous êtes là ? »

Et devinez ce qu'il m'a répondu, ce sale petit porc.

« Hors d'ici, Loup, et ne viens plus me déranger ! »

En voilà, des manières !

Il avait certainement des kilos de sucre chez lui.

Et il ne voulait même pas m'en donner

un petit bol pour le gâteau d'anniversaire

de ma vieille grand-maman chérie !

Quel cochon !

J'allais rentrer chez moi, prêt à écrire

une jolie carte de vœux à la place du gâteau,

quand j'ai senti mon rhume qui revenait.

J'ai soufflé… Et j'ai soufflé…

Et j'ai éternué encore une fois.

C'est à ce moment-là que

le Troisième Petit Cochon a hurlé :

« Et ta vieille grand-maman

peut aller se faire voir ! »

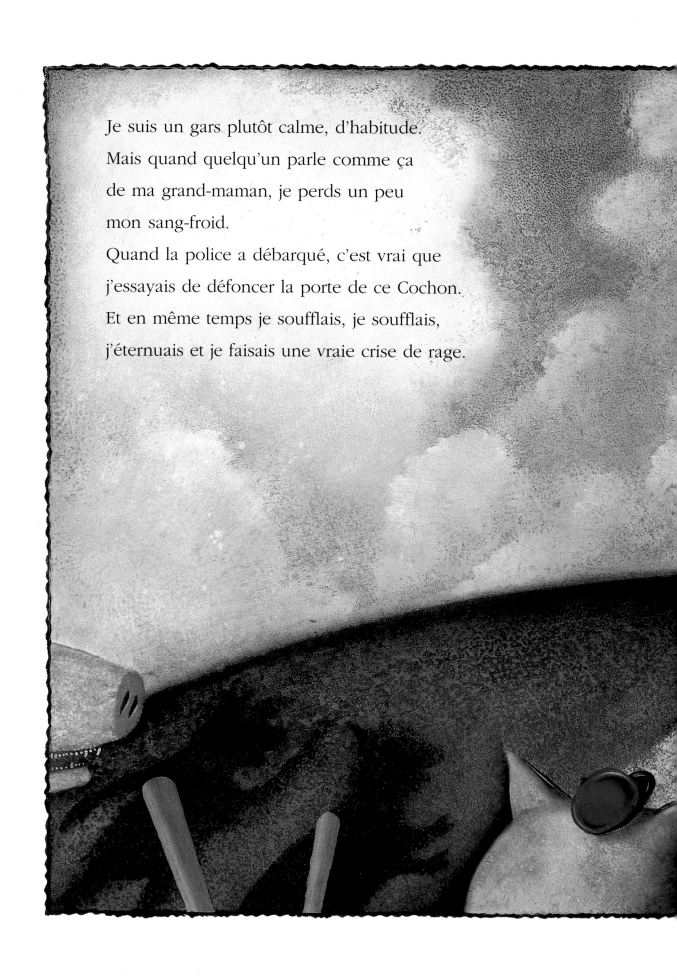

Je suis un gars plutôt calme, d'habitude.

Mais quand quelqu'un parle comme ça

de ma grand-maman, je perds un peu

mon sang-froid.

Quand la police a débarqué, c'est vrai que

j'essayais de défoncer la porte de ce Cochon.

Et en même temps je soufflais, je soufflais,

j'éternuais et je faisais une vraie crise de rage.

Le reste, comme on dit, c'est de l'histoire.

Les journalistes ont tout découvert sur les deux
cochons que j'avais mangés pour le dîner.
Ils se sont dit qu'un type malade
qui essaie d'emprunter un peu de sucre,
ça ne ferait pas les gros titres.
Alors ils ont monté toute cette histoire
avec « souffler et souffler ».
Et ils ont fait de moi le Grand Méchant Loup.

Et voilà.
La vérité. On m'a piégé.

Mais vous pourriez peut-être me prêter un peu de sucre ?